Prix
Excellence
Éditions de la Paix

2006

À RENÉ AMMANN

pour *Les Perles dorées*

René Ammann

Les Perles dorées

Éditions de la Paix

Gouvernement du Québec

Programme de crédit d'impôt pour l'édition de livres

Gestion SODEC

Le Conseil des Arts du Canada | The Canada Council for the Arts

Nous remercions le Conseil des Arts du Canada de l'aide
accordée à notre programme de publication.
Nous reconnaissons l'aide financière du gouvernement
du Canada par l'entremise du Programme d'aide
au développement de l'industrie de l'édition (PADIÉ)
pour nos activités d'édition.

René Ammann

Les Perles dorées

Illustration Jean-Guy Bégin

Collection Dès 6 ans, no 42

Éditions de la Paix

pour la beauté des mots et des différences

© **2006 Éditions de la Paix**

Dépôt légal 1er trimestre 2006
Bibliothèque nationale du Québec
Bibliothèque nationale du Canada

Imprimé au Canada

Illustration Jean-Guy Bégin
Infographie Sylvain Lépine
Révision Jacques Archambault
Graphisme Éclypse Images

Éditions de la Paix
127, rue Lussier
Saint-Alphonse-de-Granby
Québec J0E 2A0
Téléphone et télécopieur (450) 375-4765
Courriel info@editpaix.qc.ca
Site WEB http://www.editpaix.qc.ca

Données de catalogage avant publication (Canada)

Ammann, René

   Les perles dorées

   (Dès 6 ans ; 42)

   Comprend un index.

   ISBN 2-89599-031-X

   I. Titre. II. Collection.

PS8551.M62P47 2006   jC843'.54   C2006-940228-0
PS9551.M62P47 2006

Bibliographie

2006 : Du pain, du lait, des oeufs, du beurre. Guide pédagogique, Éditions des Plaines.

2005 : L'Énigme 23, roman, Éditions de la Paix.

2004 : L'horloge champêtre : poèmes et comptines, Éditions du Blé.

2002 : Dire le Nord (Collectif, Éditions David, Éditions du Blé)

2001 : Chevaucher la lune (Collectif, Éditions David)

2000 : Haïku et francophonie canadienne (Collectif, Éditions David, Éditions Perce-Neige, Éditions du Blé)

1999 : « La réplique » dans Les Éditions du Blé: 25 ans d'édition, Éditions du Blé.

1998 : La bouteille mauve, roman jeunesse, Éditions du Blé.

1998 : Des castors gros comme des bisons, guide pédagogique, Éditions du Blé.

1995 : Joue, carcajou, comptines et poèmes, Éditions du Blé.

1994 : Moinopoly, pièce inédite pour enfants créée au Cercle Molière, présentée dans des écoles de l'Ontario et de l'Ouest canadien.

1993 : Des castors gros comme des bisons, roman jeunesse, Éditions du Blé.

1993 : « Histoires de vaches », articles retraçant la présence de la vache dans l'histoire, la littérature et le folklore, publiés dans le *Bulletin des Agriculteurs*, Québec.

1992 : « Rêves gigantesques », dans Accostages, récits et nouvelles, Éditions du Blé.

1991 : « La petite histoire du Manitoba », calendrier historique publié dans La Liberté,

Chapitre premier

C'est le bonheur.

Je suis assis au pied de mon arbre, la tête appuyée sur le tronc. Je le sens grandir ; je le sens se balancer au rythme des courants d'air.

Mon érable chante. À ses pieds, bien à l'aise, je l'écoute.

— Ding ! Ding ! Ding !

Dans le fond du seau de métal, l'eau d'érable tombe goutte à goutte. D'abord sans avertir, elle perle sur le chalumeau, ronde comme un morceau de vie. Elle respire un moment, se laisse dorer quelques secondes au soleil. Alors elle glisse lentement le long du chalumeau, hésite, s'immobilise, puis se lance à l'aventure.

— Ding !

Une autre note de musique vient de tomber dans le seau. Elle me rappelle le carillon des cloches de Pâques.

Mon oiseau aussi se le rappelle. Sur sa branche, il me regarde, surpris de me retrouver au printemps encore un peu plus

grand que l'an dernier. Lui qui n'a changé ni de plumes ni de ritournelle.

— Ding ! Ding !

Le cœur de la forêt bat. Le mien, tout léger, se berce. L'alouette dessine une vague sur le vent.

À deux mains, je prends le seau de métal. Doucement, je le décroche de l'arbre. J'offre quelques perles dorées à mon oiseau, puis je bois le contenu du seau.

— Maurice ! Maurice ! As-tu vu Marie ?

Je replace le seau et, avec moi, l'érable se met à pleurer. Ma sœur a disparu.

Chapitre 2

Mon alouette s'est éclipsée dès que oncle Lionel s'est approché en m'appelant. Ma sœur ne doit pas être loin ; bientôt, mon oiseau viendra me faire signe.

— Debout, le petit frisé.

Oncle n'est pas homme à attendre une alouette. Devant lui, les arbres se tiennent droit ; c'est lui qui commande l'érablière. À mon tour je me redresse. Je me frotte les lèvres. Ma salive a perdu son goût sucré, ma petite sœur est perdue.

— Il n'y pas de temps à perdre.

Il me faut baisser la tête. Quand oncle Lionel annonce que le temps presse, il signifie qu'il faut débuter les recherches sans compter sur mon oiseau pour les faire pour nous.

— Tu connais ta petite sœur. Ce sont les tubes qui l'enchantent.

Oncle Lionel se dirige du côté nord de son érablière, là où les érables sont liés les uns aux autres par un réseau mystérieux de vaisseaux sanguins extérieurs.

— Vois-tu ta sœur ? Regarde où tu marches.

Heureusement que j'ai deux yeux pour obéir à ses deux commandements.

Toute la famille se joint à nous, mes parents, leurs frères et leurs sœurs avec, parmi eux, un cousin ou une cousine. Il ne

manque que ma sœur et tante Marie. Bientôt nous nous donnons la main pour former une grande chaîne familiale. Nous nous dirigeons vers le fond de l'érablière où ma sœur s'est déjà cachée.

Dans ma tête, la musique de l'eau d'érable se remet à jouer. Entre la chaîne familiale et le réseau des arbres, j'entends des instruments. Nous progressons comme dans une gigue, un pas à gauche, deux pas à droite. Dans mes veines coule le sang de mon grand-père « violoneux ». Les érables semblent aussi bien ancrés à leurs racines.

Puis la gigue s'éteint au bord du ruisseau, sans trace des disparues.

Chapitre 3

— Elles ne sont pas ici. D'un autre côté, elles ne se sont pas envolées.

Quand oncle Lionel dit d'un autre côté, il pense à l'autre moitié de son royaume, celle où les seaux de métal pendent aux érables.

— Demi-tour à gauche !

Les mains se laissent, les bras s'élèvent, on tourne et on se rattrape. Les hommes commencent sûrement à avoir chaud.

Nous traversons à nouveau la section nord de l'érablière. La circulation de l'eau d'érable dans les tubes m'indique que le dispositif de succion fonctionne. J'ai donc raison, la température s'est élevée.

La forêt d'érables et le vent se taisent. Dans le silence, il m'est plus facile de scruter l'horizon. Je jette un rapide coup d'œil vers le ciel, silence aussi.

De toute évidence, mon oiseau cherche toujours.

Nous voilà dans la partie sud de l'érablière. Tout en marchant, oncle Lionel ajuste un chalumeau, replace un seau.

Il m'a montré comment m'y prendre, reconnaître un arbre d'au moins 20 cm de diamètre, faire un trou qui n'a pas plus de 6 cm, car l'eau coule dans cette partie de l'arbre, juste dessous l'écorce. Avant tout, guetter les premiers signes du printemps.

Nos pieds martèlent le sol. À chaque pas, j'ai l'impression d'écraser le printemps. L'érablière a été ratissée du nord au sud ; la chaîne familiale a gigué à en perdre le souffle. Épuisé, chacun retient une larme.

Mes parents semblent imaginer le pire.

Oncle Lionel reste silencieux. Mais tandis qu'il fulmine, sa cabane à sucre, elle, fume.

Chapitre 4

L'intérieur de la cabane à sucre a une odeur sympathique. J'aime penser que c'est parce que oncle Lionel chauffe au bois franc. Aussi le poêle à bois dégage une chaleur honnête et sucrée.

Chacun est heureux d'y entrer. Sans que j'y porte attention, je comprends que l'on fouille chaque coin de la cabane pour débusquer tante Marie et sa petite nièce.

Je m'installe près de l'évaporateur où, je sais, il faudra jusqu'à soixante litres d'eau d'érable pour produire un seul litre de sirop. Je vois la vapeur m'indiquer que l'eau s'évapore, et aussi que certains sucres de l'eau d'érable se caramélisent.

Tout ce jeu chimique entre le sucre et le non-sucre m'hypnotise. Debout sur un petit banc, j'observe la partie comme s'il s'agissait d'un match de hockey.

L'atmosphère est surchauffée. Les joueurs trépignent sur une glace enjouée. La rondelle sursaute d'un bout à l'autre de la patinoire.

— Maurice !

Les ailiers multiplient les feintes; les gardiens multiplient les arrêts.

— Maurice !

Derrière le banc des joueurs, l'entraîneur bout. Il rappelle sa ligne d'attaque et envoie un

autre trio dans la mêlée. La glace
s'anime à nouveau.

— Maurice !

De l'autre côté de l'évaporateur, oncle Lionel siffle. Toute
la famille s'est rassemblée
autour de lui. Je crois

comprendre qu'il est question de stratégie, de troisième recherche, de match à gagner.

On dirait une famille liguée autour d'un vieux poêle. J'ai honte un moment. Honte d'avoir oublié que deux filles sont perdues. Honte aussi d'abandonner

un si bon match imaginaire dans l'évaporateur de mon oncle.

Chapitre 5

Je ne sais quoi penser. Si oncle Lionel se mettait à pleurer, je saurais que je devrais pleurer. S'il avait d'autres plans, je le suivrais.

Mais voilà qu'on parle de tout et de rien et que la fuite de ma sœur avec sa tante ne semble plus inquiéter personne.

Si on me disait à cet instant

que je suis trop petit, cette fois, je serais d'accord. Je suis trop petit pour pleurer, trop petit pour proposer un plan. J'ai chaud. Je sens ma tête bouillir, mais seules des bulles vides s'en échappent. Je ne comprends vraiment rien, sauf que je suis trop petit.

Derrière moi, dans l'évaporateur l'eau d'érable continue aussi à bouillir. Le tiers de l'eau sera bientôt évaporé ; nous aurons alors du sirop d'érable. Sauf que personne n'aura envie de tremper ses lèvres dans le sirop.

— Le sirop, oncle Lionel !

La ligue du vieux poêle interrompt sa discussion.

— Oui, le sirop ! Tu dis toujours que ta cabane à sucre se trouve au centre du monde, entre le nord moderne et le sud artisanal. Tu dis que ce qui enveloppe ton monde, c'est ton sirop.

— Toi, le petit frisé !

Justement moi qui craignais que la chaleur ne me défrise.

Mon oncle Lionel se lève et annonce la reprise des recherches.

— Nous avons parcouru le nord et le sud. Nous avons aussi fouillé la cabane. Mais nous avons oublié le ruisseau Du-Sirop.

Je sens que j'ai grandi de 6 cm d'un seul coup. Un bon mot et je grandis, ma famille devient plus forte, l'érablière devient un village.

Le ruisseau, quant à lui, devient un fleuve à redécouvrir.

Chapitre 6

Ce doit être le résultat du fait que j'ai grandi, je pense à ma petite sœur et je n'ai plus peur.

— Si elle s'était cachée ? Si elle nous jouait simplement un tour avec l'aide de tante Marie ?

Puisque je n'ai pas de réponse d'oncle Lionel, je me réponds à moi-même.

— Marie aime à rire...

La famille se répartit le long du fleuve divisé en sections. Chacun ira sur son lot à l'affût de traces de pas, de ricanements de ma tante ou de papiers d'emballages de bonbons à la tire jetés par ma sœur.

Aussi, dans la cabane, l'eau d'érable devenue sirop continue à bouillir ; elle donnera bientôt de la tire, de la bonne tire fraîche que ma sœur aime tant.

Le ciel est bleu. Quatre nuages blancs y fleurissent. Sur terre, la famille agrandit son

territoire. Dans quelques minutes, tout le cours du fleuve sera peuplé et nos disparues seront avec nous. Et, entre ciel et terre, quelque part, mon oiseau poursuit ses recherches et ses ritournelles.

Oncle Lionel fait non de la tête. Tour à tour, l'un de ses frères ou l'une de ses sœurs l'imite. Certains cousins ont des sourires, d'autres des larmes. D'aval en amont, le ruisseau Du-Sirop a été parcouru. On a soulevé les roches, écarté les buissons, vérifié chaque érable. Des traces de lièvres, de renards et de chevreuils ont été relevées, des chants d'oiseaux et de ruisseau ont été entendus, des mouvements de branches et de feuilles mortes ont été notés. En fait, le long de ses rives, le ruisseau est bien peuplé, mais tante Marie manque toujours à l'appel.

Il me semble que oncle Lionel se met à grisonner, que le ciel en fait autant.

Chapitre 7

Oncle Lionel dit parfois que ça tourne au vinaigre. Je ne sais pas exactement ce qu'il entend. Je dois être trop petit.

Il n'y a pas de vinaigre ici, seulement l'eau du ruisseau dégelé à peine depuis quelques jours. Dans la cabane à sucre, il y a bien de l'eau d'érable qui se change en sirop, puis en tire, maintenant en beurre. Mais aucun vinaigre.

Et rien qui tourne. En fait, chaque membre de la famille semble figé. Le vent s'est tu, le temps s'est assombri, maintenant c'est à mes oncles et tantes d'en faire autant.

Le plan de tante Marie et de ma sœur doit être meilleur que le nôtre. Peu importe où nous allons, elles nous échappent. Côté nord, côté sud, la cabane, le ruisseau, rien. Nous y sommes allés et, malgré nos vingt paires d'yeux, nos vingt paires d'oreilles, nous en sommes au même point. Point.

— Tu l'as, le petit frisé !

Je suis surpris, bouche bée et probablement encore trop petit pour saisir. J'affirme seulement :

— Nous sommes au même point. Point.

— La langue est une eau d'érable. Si on sait la comprendre, on peut créer d'admirables chefs-d'œuvre. Ou trouver de petites perles dorées.

J'ignore où oncle Lionel veut en venir. Je répète ma phrase en écoutant bien les mots. Je n'y trouve aucune perle dorée.

— Nous sommes au même point. Point.

— Nous, voilà le hic ! Nous avons ratissé l'érablière, nous avons longé le ruisseau, nous avons fouillé la cabane. Nous. Nous. Nous étions ensemble tout l'après-midi. Ceci facilite la tâche de deux filles qui veulent se cacher ! Tu ne penses pas, Maurice ?

Chapitre 8

Plus le vin vieillit, meilleur il est. Comme c'est le cas du sirop d'érable, le vin a de bonnes et de meilleures années. Son goût et sa couleur varient de jour en jour, et aussi d'année en année, de région en région.

Je dois être d'une bonne année ; je vieillis bien. Grâce à mon idée, il n'y a pas de doute, nos filles sont sur le point d'être retrouvées. Chaque cousin, chaque cousine prend la main d'un adulte, puis se dirige dans une direction différente, comme un iris au printemps qui ouvre ses pétales aux quatre vents. Ainsi si tante Marie et ma sœur épient nos déplacements pour changer de cachette, leur petit jeu tire à sa fin.

Puisqu'il est dans son royaume, oncle Lionel s'est réservé la cabane à sucre. Mes parents, mes oncles et mes tantes se partagent l'érablière. Les visages se sont éclairés, nos sourires ont des airs d'eau d'érable dorée par le soleil.

J'entre dans la cabane avec oncle Lionel et la chaleur sucrée du vieux poêle vient me caresser. Alors que j'explore tous les recoins, je jette un regard par les fenêtres, espérant que mon oiseau siffle sa victoire.

J'entends bientôt quelques notes aiguës du chant d'un oiseau, quelques notes claires accordées aux gouttes d'eau qui emplissent lentement les seaux.

La musique s'accentue, se rapproche. Bientôt les notes se changent en rires retenus. La porte de la cabane s'ouvre enfin

et de grands éclats viennent éclabousser la chaleur sucrée qui règne à l'intérieur.

Ma sœur est retrouvée. Tante Marie est retrouvée. Les peurs sont évanouies et le printemps peut commencer pour de bon.

Chapitre 9

Il aura fallu un mois entre les premières coulées d'eau d'érable et la montée de la vraie sève, celle-ci annonçant la fin de la saison des sucres.

Il aura fallu tout un après-midi avant que l'on retrouve nos disparues qui, comme je l'avais deviné sans vraiment m'en rendre compte, changeaient de refuge selon nos déplacements.

Réjoui du succès de son activité, oncle Lionel monte sur le petit banc près de l'évaporateur pour faire son discours de circonstance.

Il commence par rappeler la tradition familiale du printemps, le grand jeu de cache-cache dans son érablière. Il répète les règles pour s'assurer qu'elles ont été respectées, un adulte accompagne un enfant, on demeure sur le territoire de sa propriété, etc.

J'ai l'impression qu'il avait déjà fait ce discours, un peu plus

tôt dans la journée. J'ai dû tout oublier, étant alors trop petit, ce qui n'est plus le cas maintenant.

Puis il félicite les deux gagnantes en leur offrant le trophée qu'il fabrique chaque année, une érablière en sucre d'érable, faite à partir de son eau d'érable, patiemment récoltée, goutte dorée après goutte dorée, chauffée, évaporée, puis coulée dans son grand moule de bois franc.

Après le souper, épuisé, rassasié, heureux, je capte le signal indiquant qu'il est presque

temps de retourner à la maison. Prenant ma sœur par la main, je l'entraîne dehors et nous nous étendons sur le dernier morceau de neige qui couvre le sol.

— Vous avez été bien bonnes, toi, Marie, avec notre tante, l'autre Marie.

Nous dessinons des anges dans la neige. Mon alouette bouge les ailes pour nous signifier qu'elle apprécie. Je la salue en me demandant si mon oiseau n'est pas plutôt une hirondelle.

Je prends une poignée de neige et j'en offre à Marie. Elle la porte à sa bouche, ce qui lui fait une moustache malicieuse. Elle fait une grimace.

— La neige est bien moins fade quand on y coule des perles dorées.

Nos parents se sont joints à nous.

— Et bien moins froide quand on a une famille pour l'apprêter !

Table des chapitres

Achevé d'imprimer en mars 2006
sur les presses de l'imprimerie Gauvin,
Gatineau, Québec